NEW YORK

Irving Weisdorf & Co. Ltd.

Le Chrysler Building et l'Empire State Building dominent un centre urbain nommé Manhattan.

Des gratte-ciel familiers parmi une multitude d'immeubles à bureaux. Des photographies évoquant le tohu-bohu citadin, des images de grandeur, un sentiment d'exaltation. L'image est familière, surtout pour ceux que leurs pas n'ont jamais portés jusqu'ici. À n'en pas douter, il s'agit bien de **New York**, la ville la plus visitée au monde, même s'il n'en a pas toujours été ainsi.

En 1609, à l'apogée de l'âge des grandes découvertes, l'explorateur anglais **Henry Hudson** accoste, à la recherche d'une voie maritime vers l'Orient. Il vogue sur le fleuve qui porte désormais son nom. À l'embouchure du fleuve se trouve une île longue de 7,5 km, que les Indiens appellent Manhattan. Les Néerlandais,

commanditaires d'Hudson, voient en ce lieu stratégique la possibilité d'établir une colonie.

Les colons néerlandais débarquent en 1624. En deux ans, ils achètent l'île aux Indiens pour l'équivalent de vingt-quatre dollars. Pour une ville où, chaque année, des milliards de dollars en transactions immobilières changent de main, cette transaction reste le marché le plus pharamineux de tous les temps. Les cinquante années qui suivent, la propriété va passer plusieurs fois des **Néerlandais** (qui la baptisent **Nouvelle-Amsterdam**), aux **Britanniques**, qui l'appellent **New York** en hommage au Duc de York, frère du roi Charles II.

De nuit, la silhouette de New York scintille sur le fleuve Hudson

Pendant plus d'un siècle, la **Grande-Bretagne** réclame **New York**, même pendant la Guerre révolutionnaire et longtemps après avoir signé la Déclaration d'indépendance. Enfin, en 1783, avec la signature du Traité de Paris, les dernières troupes britanniques quittent la ville. Un an plus tard, **New York**, forte de 33000 âmes, est mondialement reconnue comme capitale des **États-Unis d'Amérique**. Même si cette distinction ne dure que six ans, **New York** est déjà au cœur des affaires américaines. En 1898, la population de New York et de sa région se monte à 3,4 millions d'habitants, ce qui fait de New York la deuxième ville du monde. Les tours

de l'**Empire State Building** surpomblent la si
lhouette de **New York,** qui abrite plus de 7 millions d'habitants. La ville est rapidement devenue
le centre planétaire où gravite le monde du commerce, des finances, des arts, de l'édition, du
spectacle, du sport et du tourisme. Chaque
année, vingt-trois millions de visiteurs explorent
la ville, témoins d'un affairement et d'une vitalité
que les premiers colons hollandais n'auraient
jamais imaginé le jour où ils mirent pied sur une
île appelée « **Manhattan** ».

La construction de l'Empire State Building, achevée pendant la Crise de 1929, marque un événement capital pour New York, qui devient alors une ville vraiment exceptionnelle du XXᵉ siècle. La construction débute en mars 1930 sur le site de l'ancien Hôtel Waldorf Astoria, pour se terminer quelque quatorze mois plus tard, en mai 1931.

Bien que deux années suffirent à sa construction, il en fallut 12 autres pour louer tous les espaces de bureau.
Comme partout ailleurs dans le monde, New York a beaucoup souffert du krach de 1929.

Dominant de ses 1 250 pieds la 5ᵉ Avenue, dans les quartiers intermédiaires de Manhattan, l'**Empire State Building** est le gratte-ciel le plus sophistiqué au monde, offrant, par beau temps, de sa terrasse d'observation du 102ᵉ étage, une vue imprenable jusqu'à cinquante milles à la ronde.

Dans les meilleurs moments de sa construction, on parvenait à construire un record de quatre étages et demi par semaine. Il a fallu seulement deux ans pour construire ce gratte-ciel, mais, en raison de la crise, plus d'une douzaine d'années s'écoulèrent avant que tous les locaux à bureaux ne soient occupés. Le «Empty State Building», comme les New-Yorkais s'amusaient alors à l'appeler, avait déjà une histoire «étagée». Cet édifice est fréquemment touché par la foudre et, en 1945, un B-25 de l'armée aérienne s'écrasa contre son 79ᵉ étage, faisant quatorze victimes et 1 million de dollars de dommages.

L'illumination par projecteurs des étages supérieurs fait en sorte que cette majestueuse structure ne passe pas inaperçue de nuit.

La Statue de la Liberté juchée sur son piédestal à Liberty Island.

Solitaire, la **Statue de la Liberté** s'élève sur une île à moins de trois km au sud de Manhattan. Face à la mer, tournant le dos au New Jersey, Dame Liberté brandit une torche d'or et accueille les bateaux sur les rives amicales de l'Amérique. Pendant bien longtemps, des cargaisons entières d'immigrants venus du monde entier défilent sous son regard juste avant de toucher terre à **Ellis Island** pour entrer dans leur terre d'adoption. La **Statue de la Liberté** fut offerte en 1886 par le peuple français pour commémorer une alliance qui remonte à la Révolution Américaine. À quatre-vingt-dix ans, la Statue a eu droit à un ravalement. Un échafaudage érigé autour d'elle a permis aux travailleurs d'achever la restauration juste à temps pour le Bicentenaire des États-Unis en 1976. Chaque jour, les visiteurs montent à bord d'un bateau-mouche qui les mène de Battery Park à Liberty Island, pour ensuite monter en ascenseur du pied de la Statue jusqu'au promontoire. Restent 162 marches à gravir, avant de pénétrer à l'intérieur de la couronne de la Statue pour jouir d'une vue époustouflante de Manhattan et du port de New York.

Ellis Island

S i la **Statue de la Liberté** est le premier endroit que l'on visite en arrivant
à New York, pour beaucoup, le deuxième
est le petit îlot d'**Ellis Island**, au flanc de
Battery Park, à la pointe sud de
Manhattan. Entre 1892 et 1954, entre
douze et seize millions d'immigrants
venus du monde entier ont foulé ici, pour
la première fois, le sol des États-Unis :
Ellis Island, siège du Bureau fédéral de
l'immigration. Entièrement rénové et
réouvert en 1990, Ellis Island est aujour-
d'hui un musée aux immigrants américains et une grande attraction touristique.

*Avec sa bouche de 3 pi et sa taille de 35 pi, la **statue de la Liberté**
a tout d'une Grande Dame.*

*L'esplanade de **Battery Park** surplombant le spectaculaire port de New York.*

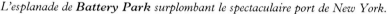

*La **taverne Fraunces**, où **George Washington** prit congé de ses officiers en 1783.*

Battery Park est également un lieu historique; baptisé ainsi en raison de sa batterie de canons, qui défendirent les premiers colons, ce parc est une oasis d'espaces verts où dînent aujourd'hui les gens d'affaires du district financier et les touristes en route vers la **statue de la Liberté**.

Dans ce même quartier sied, dans un parc qui lui est propre, l'étonnamment petit mais surprenant **hôtel de ville** de **New York**. Construit entre 1802 et 1811, non sans quelques problèmes, il demeure aujourd'hui l'un des plus impressionnants hôtels de ville aux États-Unis. Entre les deux parcs, la **taverne Fraunces**, qui n'est ni un édifice gouvernemental ni un fort révolutionnaire, est le bar où, en 1783, **George Washington** prit congé de ses officiers avant d'entreprendre son voyage vers le sud pour appuyer le gouvernement de la république naissante.

*Aussi petit qu'impressionnant, l'hôtel de ville de New York, dans le parc **City Hall**.*

Prométhée, regard fixé sur le restaurant extérieur estival du Rockfeller Center.

En 1938, après sept années de travaux de construction, le **Rockfeller Center** contribuait à l'élargissement du district financier new-yorkais vers le nord, jusqu'à la 50ᵉ rue, dans les quartiers intermédiaires de Manhattan. Véritable chef-d'oeuvre d'architecture fonctionnelle aux abords de la 5ᵉ Avenue, le centre comprend d'énormes tours, des jardins luxuriants, une allée piétonnière, une salle de concert, un cinéma, des boutiques souterraines et des restaurants, ainsi qu'un accès direct au métro. Dans une mer d'édifices à bureaux bétonnés, le centre Rockfeller se dresse, en solitaire, pour accueillir les travailleurs et les touristes.

Avec ses 70 étages, **l'édifice General Electric** est la plus grande des nombreuses structures du Rockfeller Center et est le foyer des studios de la **NBC** et du célèbre restaurant panoramique «**Rainbow and Stars**».

Les touristes qui arrivent tôt dans la saison des fêtes se joignent fréquemment aux New-Yorkais pour participer aux festivités traditionnelles de l'allumage de l'arbre de Noël, au pied de la **statue de Prométhée**. L'arbre, la musique, la foule de patineurs et d'admirateurs transforment la saison des fêtes à New York en l'une des plus chaleureuses et des plus excitantes au monde.

*Les drapeaux du monde plantés autour de la place du **Rockfeller Center**.* ➤

L'édifice G.E., avec ses 70 étages, domine le Rockfeller Center.

*Patineurs sur la patinoire la plus populaire de **New York**, au coeur du **Rockfeller Center**.*

On accède à cette place par les Channel Gardens, mini-boulevard de fontaines, statues et décorations florales, flanqué de deux rangées de boutiques opulentes. Pendant les fêtes, les jardins sont transformés en un paradis hivernal d'anges sculptés. Juste au coin, une statue d'Atlas sous un globe de fer orné des signes du zodiaque.

*Exposition saisonnière à **Channel Gardens**, au Rockfeller Center.*

*__Atlas__ brandissant le monde sur la 5e Avenue grouillante de **New York**.*

De **Chrysler** à **Rockfeller** et **Trump**, beaucoup des grands noms new-yorkais ont une chose en commun: les gratte-ciel. Depuis l'apparition du premier gratte-ciel à l'entrée de Manhattan, en 1890, le paysage new-yorkais a constamment évolué. Pendant des décennies, chaque génération semblait faire mieux que la précédente pour redéfinir la scène urbaine. En outre, alors que New York évoque souvent une image de tours gigantesques, certains des plus intéressants «gratte-ciel» sont parmi ses plus anciens et ses plus exigus édifices.

L'édifice Flatiron apparut en 1902 sur un triangle immobilier étroit, au croisement de Broadway et des 5e Avenue et 23e Rue. Confrontés à l'un des défis architecturaux les plus ardus de la ville, les responsables de l'aménagement industriel ont conçu un édifice distinct triangulaire qui attire encore aujourd'hui beaucoup d'attention.

*Vue aérienne de **Manhattan** avec le New Jersey sur l'autre rive de l'Hudson.* ▶

En 1930, la course s'annonce : c'est à qui bâtira le plus haut gratte-ciel. Le **Chrysler Building**, avec son aiguille en acier inoxydable, s'impose le premier. À ce jour, il reste le bien-aimé des new-yorkais natifs. Mais une année plus tard, le Chrysler Building se fait surpasser par l'**Empire State Building**, détenteur pendant 45 ans du titre de plus haut gratte-ciel au monde.

À la fin des années 1970, la hauteur d'un édifice ne sert plus de critère: à preuve, l'apparition d'une architecture post-moderne, comme celle du **Citicorp Bank Building** et du **Trump Tower** aux reflets de bronze. Ces édifices instaurent une opulence tapageuse sur la scène du New York contemporain. Sur plusieurs étages, le centre commercial Trump étale un déluge de marbre rose, sans compter des puits de lumière en cuivre et en verre, et une chute d'eau haute de vingt-quatre mètres.

Vue aérienne à très haute altitude de «la ville qui ne dort jamais».

*Le complexe des **Nations-Unies** et les gratte-ciel des quartiers intermédiaires de Manhattan, dont l'**Empire State Building** et l'**édifice Chrysler**.*

*La forme bien distincte de **l'édifice de la Citicorp**.*

*La **bourse de New York** offre des visites quotidiennes.*

La psyché et le pouls de New York règnent sur toutes les avenues et rues de Manhattan. **Park Avenue** est peut-être le boulevard le plus fameux de la ville. Le soir, en hiver, les lumières de Noël rebondissent sur sa chaussée glissante, où défilent la multitude mouvante des phares automobiles. Au printemps, les tulipes égaient de leurs couleurs vives les murs de ce canyon urbain. À l'extrémité sud du boulevard, l'imposant édifice Metlife, qui était autrefois l'édifice PanAm.

Le chaos de la circulation quotidienne est contrôlé par un réseau coordonné logique de rues et avenues numérotées à sens unique. Toutefois, quiconque s'est aventuré en voiture dans les rues de Manhattan sait que cette règle est loin d'être absolue. Des quartiers intermédiaires à **Greenwich Village**, progressivement, des rues à nom se substituent aux rues numérotées. En outre, le réseau coordonné disparaît complètement au centre-ville, où le plan original avait été conçu pour les chevaux, les chariots et les piétons.

S'il fallait choisir une «avenue principale» pour New York, on choisirait sans doute **Broadway**. En plus d'évoquer le célèbre quartier des spectacles new-yorkais, la Broadway est unique du fait que c'est la seule voie de communication qui s'insinue au travers des douze milles de l'île de Manhattan, de sa pointe nord jusqu'à Battery Park, à la pointe sud.

La 5e Avenue, avec l'Empire State Building se dessinant à l'horizon.

Park Avenue de nuit, scintillante des lumières de Noël et des réverbères.

Les édifices de Upper West Side en hiver.

*La rue **Bleecker**, au coeur de Greenwich Village.*

*L'immeuble résidentiel «**The Dakota**», où habitait John Lennon, sur la 72ᵉ Rue ouest, de l'autre côté de Central Park.*

*Croisement de Broadway et de la 7ᵉ Avenue, vu de **Times Square**. Broadway fuit vers le sud-est alors que la 7ᵉ Avenue fonce tout droit vers le sud.*

*Les rues étroites de **la petite Italie** (Little Italy), décorées pour le festival italien annuel.*

*Vue aérienne du One **United Nations** Plaza avec l'East River et la 59e Rue. Pont à l'arrière-plan et zone résidentielle East Side sur la gauche.*

Vraisemblablement le lieu de rencontre le plus imminent au monde, le complexe des **Nations Unies** est situé sur un terrain de 18 acres sur les rives de l'**East River**, entre les 42e et 48e Rues et la 1ère Avenue. Ce vaste monument mondial de la paix et de la diplomatie internationale est l'une des trois attractions les plus visitées de New York, après la statue de la Liberté et Central Park. Chaque année, près d'un million de touristes fourmillent sur la place et dans les jardins du complexe des Nations Unies. Des visites guidées sont offertes en trois langues et les visiteurs peuvent se mêler aux diplomates dans la salle à manger des délégués des Nations Unies.

*La principale curiosité du complexe des Nations Unies, l'imposant **édifice Secretariat**.*

La structure la plus distincte du complexe des Nations Unies est **l'édifice Secretariat**, un bâtiment de 544 pi en dalles vitrées vertes, resserrées entre d'étroits murs de marbre blanc. Toutefois, c'est l'**édifice General Assembly**, au profil plus bas, qui accueille les réunions des nations membres, dont les drapeaux ornent le périmètre du complexe. Le General Assembly peut accueillir jusqu'à 1 400 délégués, 160 journalistes et 400 visiteurs. Les délégués peuvent écouter les discours traduits dans l'une des six langues officielles de l'assemblée, soit l'anglais, le russe, le chinois, le français, l'espagnol et l'arabe, dans des écouteurs mis à leur disposition à chaque place.

*L'édifice Secretariat sied à côté du **General Assembly**, un édifice cintré, moins haut.*

*Intérieur du **General Assembly Hall**.*

La Cathedral Church of **St. John The Divine**.

Alors que des tours, dômes et clochers d'églises dessinent fréquemment la ligne d'horizon de la plupart des autres grandes villes, la forêt de gratte-ciel new-yorkaise les cache souvent à la vue. Toutefois, il serait dommage d'ignorer cet aspect, parce que les églises, temples et synagogues de New York ne sont pas moins impressionnants que leurs cousins des autres villes du monde.

Dans toute sa splendeur, la Cathedral Church of St. John The Divine demeure un projet incomplet, plus d'un siècle après la pose de ses fondations. Mais même à l'état incomplet, la cathédrale St. John est la plus grande cathédrale gothique au monde, avec une surface de plancher de 121 000 pieds carrés. Parmi sa myriade de caractéristiques, quatre portes de teck birman massif et une de bronze. Parmi les principaux autres endroits de prière en ville, notons le Temple Emanu-El, une synagogue romane sur la 5e Avenue, orientée vers Central Park. La plus grande cathédrale catholique en Amérique, St. Patrick, également sur la 5e Avenue, est un symbole des premiers immigrants catholiques irlandais à New York.

Les flèches gothiques de la **cathédrale St. Patrick.**➤

Le **Temple Emanu-El** *est la plus grande synagogue de réforme aux États-Unis.*

*Sur les marches montant au **Metropolitan Museum of Art** s'assoient souvent les visiteurs et passants fatigués.*

*Le **Solomon R. Guggenheim Museum** accueille une collection de 4 000 peintures, sculptures et dessins de la période impressionniste jusqu'au présent.*

*Les collections du **Museum of Natural History** retracent l'histoire du monde, de l'âge des dinosaures à l'âge cosmique.*

*Le Cloisters **Museum of Medieval Art and Architecture**,*
dans le parc Fort Tryon, à la pointe nord de Manhattan.

Nombreux et variés, les musées new-yorkais semblent envoûter les millions de personnes qui les visitent chaque année. Des musées entiers sont dédiés aux enfants, aux jouets, à la police, à la radiodiffusion, aux collections de monnaies, aux ordinateurs et à bien d'autres passe-temps plus obscurs. New York est le foyer de plus de quatre cents galeries d'art, dont la plus grande est le **Metropolitan Museum of Art**. La collection du «Met», regroupant toute l'histoire de l'expression artistique, est la pièce centrale du «**Museum Mile**», une véritable collectivité de galeries de classe mondiale s'étendant de l'extrémité est de Central Park jusqu'au sud, le long de la 5e Avenue. Plus au sud encore, le **district Soho** est à noter pour sa profusion de petites galeries d'art, où l'on peut admirer les oeuvres originales de divers artistes, allant de **Rembrandt** à **Warhol**. Pour tous les âges et pour tous les goûts.

Imposantes limousines, toujours prêtes à vous accueillir à l'entrée de l'hôtel Plaza.

New York a toujours été une ville d'hôtels. Des nuitées des rebelles de George Washington dans les quartiers spartiates du New York colonial aux soirées prolongées de **Ernest Hemingway** philosophant dans le bar de son hôtel favori de Central Park Sud. Des esprits aussi variés que **Groucho Marx**, **Eleanor Roosevelt** et **Mark Twain** ont logé à **l'hôtel Plaza**, l'un des nombreux établissements hôteliers exclusifs avec une vue convoitée sur Central Park. Mais que l'on parle d'hôtels extravagants ou d'hôtels tourmentés et crasseux, chaque hôtel new-yorkais a sa propre histoire à raconter. Dans le **district Chelsea**, quelques hôtels rabougris exhibent fièrement des plaques rendant hommage à de célèbres écrivains, artistes et musiciens, dont l'inspiration s'est élevée de ces murs cramoisis. Et bien entendu, il y a les hôtels modernes actuels; une liste infinie de **Sheraton**; le **Hilton**, le **Westin**, le **Marriott**, le **Peninsula**, le **Meridian** et bien d'autres grands noms de l'industrie hôtelière, tous rivalisant pour mieux servir le visiteur.

*Le **Waldorf Astoria** demeure l'un des plus prestigieux hôtels de New York, plus de cent ans après sa construction originale à l'emplacement occupé aujourd'hui par l'Empire State Building.* ➤

*Du printemps à l'automne, on peut louer des pédalos au **lac de Central Park**.*

Vu de l'espace, le point de curiosité probablement le plus typique de New York est **Central Park**, rectangle vert d'une superficie de 840 acres. Ses nombreux divertissements, allant du pique-nique aux promenades en barque, à cheval et en buggy font de **Central Park** un endroit de prédilection où se reposer du tumulte incessant de la vie quotidienne.

*Central Park s'étend de la 59ᵉ Rue à la 110ᵉ Rue,
entre la 5ᵉ Avenue et Central Park West.*

*Des **taxis à traction animale** sont disponibles aux angles
sud-est et sud-ouest de Central Park, sur la 59ᵉ Rue.*

Les limites de **Central Park** ont été
établies en 1862, à une époque où la
moitié nord de Manhattan n'était encore que
peu développée. Dans les décennies qui
suivirent, des quartiers résidentiels ont été
érigés tout autour du parc et de ses mag-
nifiques jardins, bassins tranquilles, terrains
de jeu et sanctuaires d'oiseaux naturels.
Aujourd'hui, **Central Park** attire également
les visiteurs avec ses théâtres extérieurs, ses
concerts en plein air, ses zoos et toute une
panoplie d'activités sportives, dont le jog-
ging, le vélo, le patin à roulettes, le tennis et
le base-ball.

Central Park a été conçu de façon à
permettre à ses visiteurs de se sentir aussi
loin de la ville que possible, même en étant,
la plupart du temps, à peine à quelques pas
de son périmètre. Les concepteurs du parc
ont planté de grands arbres le long de sa
ligne de crête et ont rendu les bosquets particulièrement touffus le long des murs de
pierre en bordure pour favoriser l'illusion.
Trente-deux milles de chemins piétonniers
sinueux invitent les promeneurs à abandonner la vie citadine disciplinée pour passer
quelques minutes ou quelques heures dans
un milieu plus naturel.

*Images et sons citadins s'évanouissent près des nombreuses fontaines de **Central Park**.*

*Otaries de Californie perchées sur les rochers du **zoo de Central Park**.*

*La **sculpture d'Alice** aux pays des merveilles dans une forêt d'arbres nus en automne à **Central Park**.*

*Joggers et cyclistes partagent une journée chaude sur la **promenade Central Park**.*

Centre du style et de la mode américains depuis 150 ans, New York attire les acheteurs et acheteuses du monde entier. Des boutiques de mode branchées de la Cinquième Avenue aux marchands ambulants de vêtements de seconde main de **Greenwich Village**, jusqu'au chaos des bavardages sur la **rue Canal**, une expérience de magasinage excitante attend les gens de tout âge et de toute bourse.

TO COMMEMORATE THE ONE HUNDREDTH ANNIVERSARY
OF THE INAUGURATION OF GEORGE WASHINGTON
AS FIRST PRESIDENT OF THE UNITED STATES

ERECTED BY THE PEOPLE OF THE CITY OF NEW YORK

Bien avant que les architectes ne développent une vision grandiose d'une ville ponctuée de gratte-ciel, une classe d'artisans plus modestes mais tout aussi ambitieux laisse son emprunte sur New York. Dans la tradition européenne, ils sculptent des statues, érigent des monuments et conçoivent des beffrois. Regardez attentivement les parcs et squares cachés entre les tours à bureaux : vous trouverez des monuments au New York d'une époque révolue.

L'arche de **Washington Square** semble inspirée par ses cousines de Paris et de Londres. Elle fut construite en 1889, pour commémorer le centenaire de l'inauguration de George

Washington à la dignité de premier président des États-Unis. L'original en bois a tellement séduit les new-yorkais qu'un successeur en marbre fut commandé. L'arche reste à ce jour l'un des points névralgiques de **Greenwich Village**.

Devant Central Park, à côté de la 5e Avenue, le monument du **Général William Tecumseh Sherman** semble s'élancer dans la **Grand Army Plaza** pour recevoir une réception triomphale au Plaza Hôtel. Si cela semble incongru de nos jours, il n'en était pas de même en 1903. La statue, couverte de feuille d'or, commémore les hauts faits du Général Sherman pendant la Guerre Civile.

*La **statue Bell** à Herald Square.*

Statue en or rendant hommage au
***Général William Tecumseh Sherman**.*

*Monument érigé en l'honneur d'**Ulysses S. Grant**.*

Mené par une allégorie de la **Victoire** brandissant un rameau d'olivier, le monument est sans doute la statue équestre la plus remarquable des États-Unis.

Clin d'œil à la Tour de l'horloge sur la Place Saint-Marc à Venise, la **Statue Bell à Herald Square** veille sur l'animation typiquement new-yorkaise des passants de Broadway et de la 34e rue.

Un autre héros américain et new-yorkais domine une longue bande étroite de parcs, qui serpente le long du fleuve Hudson dans le quartier ouest de la ville. Victorieux général de la Guerre Civile et bien-aimé 18e président des États-Unis, **Ulysses S. Grant** gît ici auprès de son épouse, dans l'un des monuments les plus austères de la ville. Structure massive en granit, la tombe de Grant fut achevée en 1897, seize années après sa mort, après avoir essuyé les objections des riverains pour qui ce mausolée allait donner un air funeste et indésirable au quartier. Tel ne fut pas le cas, car le monument rassemble souvent les foules et jusqu'à présent, accueille une commémoration annuelle avec toute la pompe réservée à un Président.

*Le **Pont de Manhattan** enjambe la East River. Au fond, le **Pont de Brooklyn**.*

*Communément appelé pont de la 59ᵉ Rue, le pont Queensboro relie Manhattan à **Long Island** dans Queens.*

Les new-yorkais éprouvent à la fois l'amour et haine pour leurs ponts : ils les aiment pour leur beauté qui exprime si bien le génie humain, ils les haïssent pour les embouteillages incessants. Dire que les ponts et tunnels de **New-York** sont continuellement engorgés est une lapalissade. Chaque jour ouvrable, ces ponts voient passer cinq millions de passagers qui vont au travail à Manhattan et en reviennent en voiture, en taxi, en autobus et en train. Des milliers d'autres passagers traversent le port à bord du vénérable **Staten Island Ferry**.

Le soir arrivé, les embouteillages et les nerfs à vif ne sont plus qu'un souvenir, surtout à Brooklyn où le **Pont de Brooklyn** occupe le premier plan d'un panorama inouï, sans doute la perspective la plus étourdissante de la ville, de jour comme de nuit. En amont de l'East River, le **Pont de Manhattan** et le **Pont de Queensboro** sont les liens névralgiques des gens qui se rendent au travail. Du **Pont de Verrazano**, reliant Queens à Staten Island, s'élance tous les ans le traditionnel marathon de New York.

*Le **pont Verrazano** a été nommé ainsi en hommage à l'explorateur italien qui découvrit la baie de New York en 1524.*

*Toujours considéré comme le plus beau pont du monde par certains, le **pont Brooklyn** a été terminé en 1883.*

Radio City Music Hall.

Les théâtres de New York ont un cachet et une personnalité aussi divers que ses habitants, ses quartiers résidentiels et ses entreprises. Ils peuvent être sophistiqués ou poisseux, artistiques ou quasi-commerciaux ou étriqués et en quête d'approbation. Comme nulle part ailleurs au monde, il existe à New York un théâtre pour chaque goût et pour chaque bourse. Le prestigieux **Metropolitan Opera House**, anciennement haut-lieu de la gent masculine en smoking et des femmes élégantes couvertes de perles, ouvre aujourd'hui ses portes à la classe ouvrière, aux étudiants et aux touristes. Les billets sont vendus dans le monde entier et beaucoup des meilleures places sont réservées des années à l'avance. Par contre, certains théâtres d'arrière-cour, «off Broadway», très à la mode, aux décors intérieurs austères mais intrigants, offrent d'excellents mélodrames et comédies musicales, et plus particulièrement à la foule en jeans et t-shirt. Entre ces extrêmes, n'oublions pas les pièces à succès méga-musicales, expérimentales et populaires.

Les New-Yorkais et les touristes ne se lassent jamais des extraordinaires pièces présentées au **Radio City Music Hall**. Son spectacle de Noël est l'un des faits saillants de la saison des fêtes.

Nulle part ailleurs au monde ne peut-on se vanter de voir les multiples personnalités d'une ville dépeintes avec autant d'énergie et d'élan que sur les scènes de New York.

*Le **Metropolitan Opera House** au **Lincoln Center** for the Performing Arts.*

*Les décors spectaculaires de Noël au **Radio City Music Hall**.*

*Le vénérable **Carnegie Hall**.*

Le district des théâtres à **New York**.

Presque partie du décor, **Cats** au Winter Garden.

*Le **théâtre Shubert** au coeur du quartier des spectacles.*

*Hélicoptère sur la scène de **Miss Saigon**.*

Si l'essence de **New York** est capturée dans le théâtre, goûter aux nombreuses pièces de **Broadway** doit alors être l'ultime expérience à **New York**. Et il semble que les touristes, tout comme les New-Yorkais d'ailleurs, ne se rassasient jamais de bonnes pièces de théâtre. À Broadway, le succès d'une grande comédie musicale se mesure non pas en nombre de semaines à guichets fermés, mais plutôt en nombre d'années. Et alors que même le plus court passage à Broadway est un signe de succès dans le monde du spectacle, beaucoup d'excellentes pièces sont présentées ailleurs à **New York**. «Off Broadway» (loin de Broadway) et «**Off Off Broadway**» (très loin de Broadway) sont des termes choisis tant pour des raisons artistiques et économiques que pour des raisons géographiques plus évidentes. Et en cherchant un peu, les amateurs de théâtre aventureux découvriront les futures vedettes et productions de Broadway sur certaines des plus petites et des plus étranges scènes hors des limites de Broadway.

Knickerbockers à Madison Square Garden.

*Logo de l'équipe locale du **stade Yankee**.*

Lorsqu'un New-Yorkais vous invite à visiter les «gardens», il ne parle de fleurs que s'il y a une exposition d'horticulture à **Madison Square Gardens**. Accueillant 20 000 personnes, c'est le stade intérieur le plus vaste de New York, foyer de l'équipe de basket-ball, les **Knicks de New York,** et de l'équipe de hockey, les **Rangers de New York.** Dans les quartiers résidentiels du Bronx, les **Yankees de New York,** l'équipe de base-ball, jouent leurs matches locaux au stade comportant le plus grand nombre d'étages dans les sports américains, le **Yankee Stadium.** Également dans le Bronx, un rival, avec ses véritables et extraordinaires jardins : le **New York Botanical Gardens** offrant 250 acres de terrains boisés inaltérés le long d'une rivière sinueuse, quelques jardins formels, ainsi qu'une serre-jardin d'hiver et un arboretum. Un autre jardin intéressant, le **Sculpture Garden** (jardin des sculptures), au **Museum of Modern Art,** dans les quartiers intermédiaires de la ville, qui offre un petit mais magnifique lieu de repos au milieu des gratte-ciel à bureaux de Manhattan.

Jardins botaniques de New York.

Le jardin des sculptures du Museum of Modern Art.

*«L'arrière-train» d'une Cadillac tenant en équilibre au-dessus des inévitables files d'attente du **Hard Rock Cafe**.*

Dans une ville de 15 000 restaurants, il faut s'abandonner à son imagination pour comprendre comment une telle concurrence a pu conduire **New York** à sa noble place de capitale mondiale de la restauration. Nulle part ailleurs au monde ne jouit-on d'un meilleur choix de cuisine. En plus des évidents délices de Chinatown et des bars à sushi des quartiers intermédiaires, New York offre une variété incroyable de cuisines exotiques. Restaurants brésiliens, indiens, éthiopiens ou libanais, pour n'en nommer que quelques-uns, rivalisent, dans leurs quartiers respectifs, avec d'autres restaurants aux origines ethniques semblables. En outre, que vous souhaitiez dévorer un sandwich géant au pastrami, goûter au parfait bifteck new-yorkais ou avaler un traditionnel hamburger américain, vous n'avez jamais à aller bien loin. Plus récemment, les restaurants thématiques, tels que «**The Hard Rock Cafe**» et «**Planet Hollywood**» ont adopté différents thèmes, présentant de la musique rock et des vieux films pour attirer la clientèle dans un marché toujours plus compétitif.

Déjà, du temps des premiers colons, le **front d'eau** est le foyer du négoce et du commerce à New York. Les pêcheurs et la marine commerciale déversent poisson, fruits, légumes, viande et autres denrées à un comptoir d'East River au pied de Fulton Street. En 1822, le **Fulton Street Market** ouvre ses portes. Il s'agit du premier marché au bord de l'eau à New York. À ce jour, le quartier demeure un centre de commerce, puisqu'il est le principal marché de poisson des commerçants et restaurants. Au milieu des années 1960, des citoyens soucieux décident d'œuvrer pour sauvegarder le vieux port, en état d'abandon. En effet, les activités de transport étaient passées de Manhattan à Brooklyn et au New Jersey. D'innombrables édifices du XIXᵉ siècle ont miraculeusement survécu aux assauts du temps. Même légèrement abîmés, ils accueillent la renaissance des quais historiques de New York.

De nos jours, le **port maritime de South Street** est le principal point d'intérêt de quais rajeunis et florissants, incluant voies piétonnes, passerelle, grands voiliers restaurés, restaurants, pubs et spectacles ambulants. Tous les jours, les quais s'éveillent à la vie bien avant le lever du soleil lorsque le **marché de poisson de la rue Fulton** s'ouvre pour vendre ses poissons frais tout juste rapportés du port. Un vieux vapeur à aubes restauré offre une visite de quatre-vingt-dix minutes de la région du centre-ville le long des quais, de son poste de mouillage au port maritime de la rue South.

La passerelle le long des quais de la pointe sud de **Manhattan***.*

Le **port maritime de la South Street** *au quai 17.*

*Groupe de sculptures, avec pour thème les transports, à l'extérieur de la **gare Grand Central**.*

À l'âge d'or du voyage en chemin de fer, la **Grand Central Station** était sans l'ombre d'un doute pour les voyageurs le centre de New York. Suite à sa construction style renaissance, qui a pris plus d'une douzaine d'années avant d'être achevée, en 1913, la gare Grand Central a immédiatement été reconnue comme un chef-d'oeuvre d'ingénierie. Que ce fusse pour affaires ou pour le plaisir, la toute première chose que découvraient les visiteurs de New York était presque toujours la gare Grand Central. Aujourd'hui, cette gare est plus affairée que jamais, croulant sous les pas des banlieusards utilisant le métro et les trains navettes de la périphérie de **New York** et du Connecticut.

◄ *Intérieur de la **gare Grand Central** pendant une heure de pointe.*

Quiconque pense connaître **New York** se surprend toujours à découvrir quelque chose d'autre à faire ou à visiter, que ce soit les boutiques d'antiquaires et de cristaux de **Soho**, les précieuses galeries d'art de la **rue Thompson** ou les bars de blues de la **rue Bleecker**. Par un frais après-midi d'automne ou par un doux matin de printemps, on peut se promener à **Washington Square**, à **Greenwich Village** ou marchander le prix d'un poisson sur la **rue Canal**, à **Chinatown**. Que vous soyez mêlé au style de vie frénétique de **New York** ou que vous n'en soyez que spectateur, vous savez toujours que le coin de rue prochain vous réserve quelque chose d'intéressant à voir ou à faire à **New York**, la ville qui a tout à vous offrir.

Cette capitale fiévreuse ne manque pas de curiosités. Toutefois, ses habitants sont sans doute son attraction la plus grandiose et la plus attachante. Les New-Yorkais diffèrent des autres Américains de par leur diversité, leurs habitudes, leur ingéniuté, leur façon de se vêtir, leur passion et leur humour. Ils sont les fils et les filles de tous les coins du globe, chacun et chacune ayant apporté avec lui ou avec elle un petit quelque chose de particulier pour ajouter à cette superbe ville qui n'est en fait rien d'autre qu'un creuset de cultures mondiales.

Le 11 septembre 2001 a changé le visage du monde à jamais et restera gravé dans la mémoire de toutes les nations. Ce jour-là, les États-Unis ont résisté à leur ennemi obscurantiste. Ils sont sortis de leurs cendres comme le phœnix, fiers de leur gloire, de leur humanité et de leur honneur.

Par un matin ensoleillé de septembre, les attaques frappent à l'improviste. Ce matin-là, avant 10 h, deux des symboles prééminents des États-Unis s'effondrent. En premier, ce sont les deux tours du World Trade Center. Alors que la population prend innocemment le chemin du travail, un avion civil pris en otage percute sciemment la Tour Nord à 8 h 45. À peine dix-huit minutes plus tard, à 9 h 03, un deuxième avion civil pris en otage vient s'écraser contre la Tour Sud. Exactement quarante minutes plus tard, à 9 h 43, un troisième avion heurte le Pentagone à Washington. Un quatrième avion, aux mains de pirates de l'air, en direction de Washington, ne finit jamais sa course folle et s'écrase à Somerset County en Pennsylvanie, vingt-sept minutes plus tard, à 10 h 10. Le monde ressent l'onde de choc alors que la nouvelle traverse le globe.

La violence de cet acte est indicible. Pour témoigner de l'esprit qui les anime, de leur ténacité et de leur amour de la vie et de la liberté, les Américains se lèvent et font face à cette expression de haine et de violence. De ce crime, il reste un déluge d'esprit humain et communautaire, sans égal à notre époque. Forte dans l'adversité, la population se serre les coudes, et s'unit dans une manifestation de liberté et de nationalisme sans précédent.

Ce n'était pas un pays éclaté par un ennemi lâche et sans visage, c'était une nation forte, unie et prête à se battre pour les libertés auxquelles elle croit.

Les événements du 11 septembre ne reflètent en rien la faiblesse et la vulnérabilité d'une nation, mais prouvent plutôt brillamment que le courage et la force guident la nation américaine et surtout les habitants de cette ville magnifique, New York.

Publié et distribué par
Irving Weisdorf & Co. Ltd.
2801 John Street,
Markham, Ontario, L3R 1B4

Texte de
Mia Forbes / Harry Phillips

Conception de
David Villavera

Mise en page sur ordinateur
Amy Morrison

Photographie	Page
Able Stock	44
Com Stock	4/5
L. Fisher	Dernière page de couverture, 1, 2, 6, 7a, 9, 11, 12, 14, 15, 17b, 18, 19, 23, 26, 27, 31, 33a, 34, 35, 36, 37, 38a, 39b, 40c, 41a, 42, 43a, 43c, 44, 45b, 48, 49c, 52, 54, 55a, 57, 58c, 61a, 61e, 61f, 63b
Marc Rosenthal	61
J. Driendl	63a
Forbes / Phillips	17a, 24a, 25a, 30b, 39a, 40a, 41b, 43b, 46a, 49a, 50b, 51a, 53a, 53c, 53e, 55b, 56, 58a, 59b, 59c, 61b, 61c
G. Kalinsky	50a
New York Visitors & Convention Bureau	13a, 32a, 33b, 38b, 45a, 46b, 47b
G. Romany	3, 7b, 8, 10a, 10b, 13b, 16, 20/21, 22a, 22b, 32b, 40b, 47a, 49b, 53b, 53d, 58b
D. Villavera	30a, 51b, 61d